KB219027

환경 용어 톡 I

가볍게 톡톡보는 환경 용어 50선

환경 용어 톡 I

발　행 | 2025년 2월 20일
저　자 | 백장흠(필명:까치아우)
펴낸이 | 한건희
펴낸곳 | 주식회사 부크크
출판사등록 | 2014.07.15.(제2014-16호)
주　소 | 서울특별시 금천구 가산디지털1로 119 SK트윈타워 A동 305호
전　화 | 1670-8316
이메일 | info@bookk.co.kr

ISBN | 979-11-419-8663-6

www.bookk.co.kr

환경 용어 톡 I

백장흠

차례

머리말: 환경교육 현장에서 도움이 되기를 기대하며

예비 환경교육사와 강사 시장에 막 뛰어든 환경 강사분들에게 "환경 용어 톡 I"을 바칩니다.

안녕하십니까? 환경교육사 백장흠입니다.
이 환경 용어 톡 I은 현재 예비 환경교육사로서 앞으로 환경교육사 자격 취득 후 환경 강사로 활동하려는 분들과 환경시민으로서 환경에 대한 이해를 돕기위해, 그동안의 환경교육 현장에서 나온 교육생의 용어 질의와 최근 이슈 중 환경용어를 엄선하여, 알기 쉽게 정리한 것입니다.

환경소양과 감수성, 더 나아가 공감성을 함양하고 환경에 대한 관심을 더욱 높이고, 지속 가능한 미래를 위한 환경교육 활동에 작은 도움이 되었으면 합니다.

2025년 3월

누나콤파스 대표   환경교육사 백장흠

제1편 환경권편

예비 환경교육사와 환경교육사 자격 취득 후
환경 강사로 활동하기 위해 꼭 알아야 할 환경용어,
그 첫 번째
'환경권'과 대한민국 헌법이야기로 시작합니다.

1.환경권

여러분이 일상적으로 쓰는 환경권이라는 용어,
우리나라 국민의 기본권이 명시되어 있는 헌법에
나와있는 기본권 중 하나라는 거 알고 계시는지요?

<헌법 제35조>
① 모든 국민은 건강하고 쾌적한 환경에서 생활
할 권리를 가지며, 국가와 국민은 환경보전을
위하여 노력하여야 한다.
②환경권의 내용과 행사에 관하여는 법률로
정한다.
③국가는 주택 개발정책 등을 통하여 모든 국민
이 쾌적한 주거생활을 할 수 있도록 노력하여야
한다.

(국가법령센터_헌법)

그런데, 이 헌법 제35조 1항의 환경권은 9차 개헌
때인 1987년 제10호 헌법에 들어간 국민의 권리
입니다.

(1987년 6월 항쟁의 결과로 개정된 헌법에 환경권을
국민의 기본권으로 인식하여 기본권으로 넣은 게 그
의미가 크다고 볼 수 있습니다.)

기후변화, 기후 위기 대응을 위한 탄소중립 등 지구
환경을 보호하기 위한 환경교육이 꼭 필요한 상황에서
중요한 화두가 되고 있는 이 환경권, 이젠 국민의
기본권 중의 한 권리로 35조에 위치해 둘 게 아니라,
우리 헌법 전문에 들어가야 하는 최우선의 권리로
자리매김해야 하지 않을까요?

대한민국헌법

[시행 1988. 2. 25.] [헌법 제10호, 1987. 10. 29., 전부개정]

전문

유구한 역사와 전통에 빛나는 우리 대한국민은 3·1운동으로 건립된 대한민국임시정부의 법통과 불의에 항거한
4·19민주이념을 계승하고, 조국의 민주개혁과 평화적 통일의 사명에 입각하여 정의·인도와 동포애로써 민족의 단
결을 공고히 하고, 모든 사회적 폐습과 불의를 타파하며, 자율과 조화를 바탕으로 자유민주적 기본질서를 더욱 확고
히 하여 정치·경제·사회·문화의 모든 영역에 있어서 각인의 기회를 균등히 하고, 능력을 최고도로 발휘하게 하며
, 자유와 권리에 따르는 책임과 의무를 완수하게 하여, 안으로는 국민생활의 균등한 향상을 기하고 밖으로는 항구적
인 세계평화와 인류공영에 이바지함으로써 우리들과 우리들의 자손의 안전과 자유와 행복을 영원히 확보할 것을 다
짐하면서 1948년 7월 12일에 제정되고 8차에 걸쳐 개정된 헌법을 이제 국회의 의결을 거쳐 국민투표에 의하여 개정
한다.

1987년 10월 29일

우리의 안전, 자유, 행복 등도 생태와 환경, 자연과 환경이 공존하는 우리가 살고 있는 이 지구, 이 지구환경이 있을 때만 가능하니까요.

죽은 행성에서는 살 수 없다는 데이비드 브로워의 말처럼 환경 보호의 중요성은 모든 기본권의 전제, 기본권 중의 기본권이 되어야 마땅하지 않을까요?

여러분의 의견은 어떠신지요?

[돌발퀴즈]
이 환경권이 헌법 전문에 들어간다면 위치는 어디가 가장 좋을까요?

대한민국 헌법 전문을 펼쳐놓고 환경권을 어디에 넣으면 좋겠는지?

헌법 개정 체험 활동을 해 보고, 각자 제안 의견을 서로 공유해 보는 것도 좋겠습니다.

제2편 자원순환·재활용편

탄소중립 실천과 함께 중요한 국제사회의 화두가 되고 있는 자원순환 그리고 순환 경제, 바로 이 순환 경제에 있어 핵심은 대량생산-대량 사용-대량 폐기로 인한 환경파괴를 최대한 줄이기 위하여 자원의 순환을 최대한 오래도록 유지하고 분리배출을 잘하자는 데 있지요~

2.분리배출

분리배출과 분리수거?
쉬우면서도 많이 혼동을 일으키는 용어 중의 하나죠.

각 가정에서는 매일 또는 주 1회 지정된 날에 공동
장소에 쓰레기나 재활용품을 내놓고 있습니다.
분리수거일까요? 분리배출일까요?

분리배출 제도가 시행된 것이 2003년이니까 벌써
22년이 된 제도인데도, 아직도 아래와 같이 잘못 쓰는
곳이 일부 있습니다.

제가 예전에 방문한 적이 있는 서울 시내에 있는 모
기관 내에 설치되어 있는, 그것도 같은 장소에 아래와
같이 분리 배출통과 분리 수거통이라는 안내 스티커가

버젓이 같이 부착되어 있는 모습입니다.

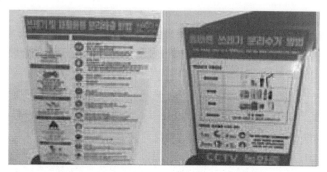

<분리배출, 분리수거의 혼용 사례_이런 기본도 모르고 쓰는건 좀?.>

쓰레기 박사 홍수열 소장의 명쾌한 유권 해설에
따르지 않더라도,
가정이나 기업 등에서 재활용품을 내보내는 입장에서
는 '분리배출'!, 그렇게 배출된 것을 가져가는 수거업체
입장에서는 '분리수거'!

예전에 참석한 외부 공식 세미나에서 어느 발표자가
자신 있게 우리 국민이 "분리수거"를 잘해야 한다고
강조한 게 생각이 납니다. (물론 수거해 가시는 재활용
업체분들도 우리 국민이긴 하죠)

최근 수료한 ES 전문 강사 양성 과정에서 동료 강사
한 분이 분리배출과 분리수거 표현을 정확하게 말씀

하시는 걸 보고 역시 강사 양성 과정에 오신 분이라 다르구나 하는 걸 느꼈습니다.

2024년 모 드라마 굿OOO에서 변호사 역할의 주연 배우로 나온 장OO씨가 후배 변호사와 대화하는 장면이 있었는데요, 대사 중에 '분리수거'라고 얘기를 하는 걸 보고 문득 떠 오른 생각이 있습니다. (드라마 작가분들 대상으로도 환경교육이 좀 필요할 수도 있겠다. 새로운 강사시장의 블루오션!)

위 OO 기관에서도 정확한 표현으로 수정하여 부착 하고 방문객들을 맞아 주면 좋겠습니다. 잘 몰랐다면 알고 보완하면 됩니다. 앞으로는 혼동하는 일 없도록!

[돌발퀴즈]

자원순환 관련하여 현재 우리나라에서는 매년 9월 6일 을 자원순환의 날로 정하여 자원순환 관련 다양한 행 사와 함께 체험하고 있는데요, 이와 함께 분리배출의 날을 지정한다면, 여러분은 어떤 날짜로 정할 것인지 요?

분리배출의 날 지정에 대한 여러분의 의견을 서로
공유하고 토론해 보는 것도 좋은 소재가 될 것입니다.

3.Reduce

3R의 첫 번째는 Reduce입니다.
이것은 줄이는 것이죠. 소비자는 제품을 사는 것을
줄이고 생산자는 생산을 줄이는 것입니다.
오늘날 인간이 발명한 귀한 존재에서 환경오염의
원흉? 이 된 플라스틱! 줄여야 합니다.

그것도 소비자들보다도 생산자, 즉 기업들의 플라스틱
생산을 줄이는 것부터가 핵심이라고 봅니다.

최근 정부에서도 재생 원료 사용 비율, 재활용 원료
사용 등에 대한 규제를 하려고 하는데요,
**이보다도, 플라스틱 생산량 감소 정책을 강력하게
추진해야 하지 않을까요?**

※이와 관련하여 기업에 "플라스틱 폐기물 부담금" 제도를 통하여 부담금을 받고 잇습니다만, 실제 플라스틱량 감소 효과는 별로 크지 않는 듯합니다.

부담금 단가 자체가 150원/kg 정도로 낮은 게 큰 원인 중의 하나이죠. 따라서 부담금 단가를 올려 실질적인 감소를 유인하는 것도 대책 중의 하나가 될 수 있습니다.

4.Reuse

3R의 두 번째는 Reuse입니다. 재사용이죠.
현재 국내법상으로 재사용을 재활용에 포함하고
있습니다만, 현장에서는 분리하고 있습니다.

한 번 구입하고 사용한 물건을 또 사용하는 것이고,
버리기 전에 한번 더 사용하는 것입니다.
플라스틱의 문제가 어제 오늘 얘기가 아닙니다만,
자원순환에 있어서 핵심은 바로 재사용입니다.
Recycle(물질 재활용)보다 더 중요한 것은 재사용
입니다.

특히 한번 쓰고 버리는 일회용품, 일회용 플라스틱
문제는 재사용으로 어느 정도 해결이 될 수 있습니다.
다회용 컵 사용도 대안이 될 수 있는 것이죠.

3R의 세 번째는, 잘 알고있는 Recycle 재활용입니다.

자원순환 고리에서 재활용은 물질 재활용을 의미하는
데요, 사용 후 제품을 재질별로 분리하여 다른 제품의
원료로 사용하는 물질 재활용, 즉 철, 구리, 플라스틱
등 재질별로 분리, 펠릿 형태로 최소화하여 다른 제품
의 원료물질로 사용하는 것으로 한정된 지구 자원을
절약할 수 있는 중요한 개념입니다.

최근 화학적 재활용과 생물학적 재활용의 개념이 확대
되고 있는 추세인데요. 이 부분은 따로 용어 설명을
하기로 하겠습니다.

현재 국내 대부분의 자원순환 센터나 재활용센터
에서는 이 물질 재활용을 기반으로 하고 있죠.

6.Refuse

자원순환 관점에서 'Refuse'는 소비자가 불필요한 제품이나 포장재 등을 거부/거절함으로써 생산과 소비에 따른 자원 소비를 줄이는 걸 의미하죠.

예를 들어, 제품을 살 때 일회용 플라스틱 제품을 거부하고 지속적으로 사용 가능한 다회용 용기를 선택함으로써 플라스틱 소비를 줄일 수 있지요.

(AI 이미지)

또는 제품을 구매할 때 담아주는 비닐봉지를 거절한다
든가 종이 영수증을 거절하는 것도 해당합니다.
이것은 나중에 설명드리는 탄소중립 포인트 제도와
연계가 되죠~

이처럼 Refuse는 지구환경에 부정적인 영향을 줄이고
자원을 보존하기 위한 중요한 자원순환 행동 중의
하나입니다.

7.Rot

'Rot'은 자원순환 관점에서 유기물이 자연적인 분해 과정을 거쳐 토양에 돌아가는 걸 말합니다. 쉽게 말하면 '썩히기'이죠.

썩은 음식물이나 유기 폐기물은 적절한 조건에서 세균, 곰팡이 등에 의해 분해되어 퇴비로 사용할 수 있습니다.

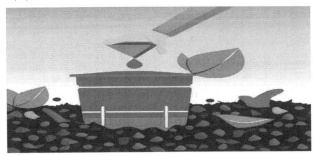

(AI 이미지)

이러한 과정은 자연 생태계에 유익하고 가정에서도, 또 유기농 농업 부문에도 잘 활용할 수 있는 것이죠.

가정에서 할 수 있는 것은 매일매일 나오는 음식물 쓰레기를 EM 등을 사용하여 퇴비화하고, 그걸 이용하여 상추 등 채소를 직접 재배하는 것까지 연계할 수 있는 것 다 알고 계시죠?

음쓰를 줄이거나 썩히는 것도 탄소 배출을 줄이는 중요한 자원순환 행동 중의 하나입니다.

8.Repair

자원순환 관점에서 ′Repair′는 소비자가 제품 구매 후 사용 중 또는 사용한 후에 손상되었거나 수리가 필요한 경우에 직접 수리하여 사용함으로써 폐기물을 줄이고 자원을 재활용하는 것을 말합니다.

(pixabay)

간단한 수리가 가능하다면 그냥 버리지 말고 수리하여
다시 사용하는 건 어떨까요?
Repair 또한 중요한 자원순환 행동 중의 하나입니다.

이 Repair 관련하여 최근 쟁점이 되는 개념이 하나
있는데요,

바로 수리할 권리, "수리권'입니다. 아직 국내에는 활성
화되어 있지 않지만, 앞으로 휴대폰 등 유럽에서 도입
시행되는 것과 유사한 제도가 시행되지 않을까 예상
됩니다.

자원의 효율적인 이용과 환경에 대한 부담을 줄여주는
5R의 실천으로 지속 가능한 지구를 미래세대에게 물려
줄 현세대가 되어야 하지 않을까요?

PCR은 Post Consumer Recycled의 약어를 말하는데, 이것은 사용 후 폐제품을 재활용하여 재생 이용하는 것으로, 통상 펠릿 형태로 다른 제품의 원료로 사용됩니다. 통상적으로 물질 재활용에 사용되는 것을 말합니다.

이러한 PCR은 어떤 기업의 ESG 평가에서도 하나의 카테고리를 형성하는 주요한 평가항목 중의 하나입니다.

10.PIR

PIR은 Post Industry Recycled를 말하는데,
이것은 PCR과 대비해서 사용하는데 PCR과는 완전히
다른 개념입니다.

쉽게 말해서, 어떤 신제품을 만드는 제조공정에서 나오
는 부스러기를 말하는데, 이것을 다시 제품의 원료로
사용하는 것입니다, 엄밀히 말해서 재생 원료라고는 할
수 없죠.
(즉, 사용 후 폐제품에서 나온 게 아니라, 그냥 신제품
을 만드는 공정에서 나온 새(것) 부스러기죠)

이는 PCR만 해당되는 것으로 일부 기업에서는 PIR을 여기에 포함하는 워싱을 하기도 합니다.
즉 재생 부품 사용 비율을 말할 때 PIR을 포함하여 언급할 경우에는 제대로 된 숫자가 아닌 거라고 보면 됩니다.

최근 국내법상, 이 재생 원료 비율을 일정 이상 사용하는 걸 의무화하는 규제를 시행될 예정입니다. 대상 품목과 비율이 어떻게 입법으로 될지 관심이 모아지고 있었는데요,
단독 페트병에 대하여 10% 수준으로 사용을 의무화하는 제도가 시행된다고 합니다. 그리고 10%를 달성하지 못하면 제조사의 명단이 언론에 공개되며, 과태료와 함께 이행 명령을 지켜야 한다.

앞으로는 EU 등 글로벌 규제에 맞추어 30% 수준까지 확대될 것으로 예상됩니다.

※Tip

재생 원료와 같이 알아두면 좋은 용어 : 재생 원료 사용 비율 표시인데요, 이것은 국내에서 발생한 폐플라스틱으로 생산된 재생 원료(PCR)를 일정 비율 이상으로 사용한 제품·용기의 제조자에게 그 사용 비율을 제품·용기에 표시하는 제도로, 현재 환경공단에서는 표시제도 대상으로 10%~20%의 최소 사용 비율을 정해놓고 아래와 같이 표시하도록 하고 있습니다.

<출처 : 환경공단_재생 원료 사용 비율 표시제도 마크>

12.물질 재활용

물질 재활용은 전통적인 재활용 방법으로, 기계적 재활용이라고도 하는데요, 분리배출을 통하여 재활용센터에 모인 폐제품을 분리,선별, 파쇄 등 공정을 거쳐 최종적으로 펠릿 형태로 만들어 다른 제품의 원료로 투입하는 것을 말합니다.

따라서 가장 일반적인 재활용 방법이지만 엄밀히 말하면 기존 제품에 그대로 사용되는 것 외에 다른 제품의 원료로 사용됨으로 품질 문제가 발생할 수 있고, 결국 매립, 소각으로 이어집니다.

현행 폐기물관리법에서는 재사용, 재생이용, 에너지 회수까지 모두 포함하여 재활용으로 보고 있습니다.

화학적 재활용은 폐플라스틱 등 폐제품을 열분해 등의
방법을 이용, 화학적으로 분해하여 재활용하는 것을
말하는데요, 최근 일부 기업에서는 이 방법에 많은 투
자를 하는 추세입니다.

열분해를 하기 위한 별도의 설비를 구축해야 하는
필요가 있죠.
화학적 재활용은 결국 마지막으로 활용할 수 있는
재활용 방법이 될 수 있습니다.

14.생물학적 재활용

최근 모기업과 모 대학 연구팀이 합작하여 미생물
효소를 개발하여 플라스틱 (PET) 분해가 가능한
기술을 발표한 적이 있는데요,

이런 방법을 통하여 플라스틱을 분해하여 새로운
제품을 만드는 것을 생물학적 재활용이라고 말합니다.

다만 이렇게 만든 제품이 자연환경에서도 분해가 되는
지는 또 다른 문제로 대두됩니다만, 계속된 생물학적
재활용의 방법으로 재활용이 지속된다면 플라스틱
신규 생산은 감소하는 효과는 확실히 있지 않을까요?
(물론 품질 문제는 별도 논의….)

생활 쓰레기 직매립 금지가 가져오는 우리 생활의
변화가 어떤 모습으로 나타날지에 대해 2026년이 벌써
기대가 됩니다.

한 명의 생활 속의 자원순환 활동이 10명, 100명으로
이어지고 오천만, 1억, 80억으로 이어진다면 우리가
사는 지구가 지금보단 좀 더 살만하지 않을까요?

<pixabay>

우리가 제대로 재활용한다면 바다의 해양오염이
줄어들어 해양생물이 폐어구에 걸려 죽는 사례가
없어지지 않을까요?

흔히 말하는 자원순환 10R 중에서 가장 회자되고
있는 5R 외에 나머지 5R이 있습니다.

<AI 이미지>

즉, 5R은 다 아시는 대로 '제로 웨이스트' 운동가인
비 존슨이 주장한 용어죠.

Recycle, Reuse, Reduce, Refuse, Rot

여기에 아래 관련 용어도 같이 알아두심이 좋을 듯합
니다.

2026년부터 수도권 지자체의 생활 쓰레기 직매립이
금지됩니다. (2030년부터 전국 지자체 직매립 금지)
따라서 재활용 워싱이 금지가 되어야 하고, 생활 쓰레
기를 획기적으로 줄여야 합니다.

<Pixabay>

다시 말해서 재활용이 가능한 것들은 종량제봉투에
투입해선 절대 안 되는 것이죠.

이에 대응하여 각 자체에서 종량제봉투에 대한 환경
감시원의 활동 강화가 예상됩니다.
종량제봉투로 가는 걸 최대한 줄여 직매립 금지에
적극 대응해야 하겠습니다.

4R, 5R 중 특히 재사용을 우선으로 하는 생활 속의
실천이 필요한 때입니다. 그래도 재활용을 할 수밖에
없는 상황이라면 제대로 된 분리배출로 재활용을 활성
화해야겠죠.

15.Remanufacturing

Remanufacturing 또는 Reman은 재제조를 말합니다.
법에 정한 일부 품목을 분해/세척/검사 등을 거쳐 제
조하여 저렴한 가격으로 시장에 내놓는 것인데요,
신제품을 만들 때보다 탄소배출이 감소하는 효과가
있죠. 현재 프린터 토너 카트리지나 자동차용 외장품
등 일부 품목이 재제조 대상으로 지정되어 있습니다.

Rethink는 다시 생각하기를 말합니다.

제품을 구매하기 전에 꼭 필요한 것인지? 등 그 필요
성과 효용성을 검토하여 한 번 더 생각하는 것을 말하
는데요, 이렇게 한 번 더 생각함으로써 불필요한 낭비
를 줄이고 자원을 절약할 수 있는 것입니다.

17.Refurbish

Refurbish는 흠집 제품 재판매하기를 말하는 것으로 리퍼브리시 또는 줄여서 리퍼브라고도 합니다.

매장 등에서 제품에 흠집 혹은 하자로 인해 반품되었거나 전시된 제품 중에서 흠집이 있는 것을 저렴하게 다시 판매하는 것을 말하는데요, 리퍼브 제품이라 하더라도 제품의 기능 등에는 문제가 없으니까 이를 활성화하는 것도 자원순환의 한 방편이죠.

Repurpose는 다른 용도로 쓰기를 말합니다.

사용 후 제품을 불필요하다고 하여 그냥 버리는 것이
아니라 다른 용도로 쓰는 것을 말하는데요,
가장 쉬운 예로는 물티슈를 한번 닦고 버리지 않고 창
틀의 먼지를 닦은 다음 버린다든지, 아니면 다 사용한
철로 된 상자 (약품 통 등)를 그냥 재활용하는 것이
아니라, 연필 꽂이나 소소한 것들을 모아두는 통으로
활용하는 것 등 을 말하는 것이죠.

19.Replace

Replace는 대체하기를 말합니다.

제품의 포장재 등에 많이 사용하는 자원순환의 한 방
편인데요, 예를 들면 기존에는 제품의 포장 상자 안에
제품 보호용으로 스티로폼이나 일명 뽁뽁이 등 비닐류
등을 많이 사용했었는데요, 이런 포장재를 대체하여 종
이 등 친환경 소재로 바꾸는 걸 말합니다.

20.Upcycle

Upcycle은 새활용을 말합니다.

위 10R 외에 여러분이 꼭 알아야 할 새로운 용어! 바로 Upcycle입니다. (Upgrade+Recycle의 합성어) Upcycle은 우리말로 순화하면 잘 아시는 대로 '새활용' 이죠. 사용 후 제품을 다른 것으로 디자인하여 예술적, 환경적 가치가 높은 것으로 다시 만드는 것을 말합니다.

예를 들면, 폐현수막을 회수하여 장바구니로 만든다든지, 아니면 다회용 용기를 회수하여 공원 벤치용

의자로 만드는 경우가 해당하는 것이죠.

Upcycle을 우리말로 순화한 용어인 새활용이 공식화된 것은 2012년인데요, 국립국어원에서 새활용이란 용어를 공식화했었죠.

[돌발퀴즈]
최근 반크에서 '새활용의 날'로 지정할 것을 새롭게 주장하는 날짜가 있어 그 지정여부가 주목됩니다.
반크가 제안한 이 새활용의 날은 정확하게 몇 월 며칠일까요? 또 새활용의 날 지정에 대하여 여러분의 의견은 어떠신지요?

10R과 1U로 지속가능한 생활이 될 수 있기를 바랍니다.

제3편 ESG편

ESG 경영에서 시작하여
ESG 행정,
그리고
현재는
ESG 생활까지 확대 전파가 되어있는 개념이죠.

21.ESG

ESG는 요즘 기후변화, 기후 위기와 함께 글로벌
이슈로 화두가 되고 있는데요, 혹자는 ESG 열풍이
식고 있다고도 합니다. (Environmental, Social,
Governance의 약어)

하지만, ESG 관련하여 EU에서는 공시가 의무화되고
있고, 우리나라에서도 지속 가능 보고서의 의무 공시가
조만간 시행될 예정이어서 ESG에 대한 열풍은 계속
되리라고 봅니다.

ESG는 기업의 ESG 경영을 시작으로, 정부나 공공
기관의 ESG 행정, 그리고 ESG와 생활 속의 환경
이야기로 국민 생활까지 이미 들어와 있다고도 볼
수가 있죠.
그런데 이러한 ESG에 대하여 아직도 E.S.G 중의

'E'를 잘못 이해하고 있는 분들이 많이 있습니다.
ESG라는 용어가 처음 등장한 "WHO CARES WINS"
보고서에 따르면, E는 Environment의 명사형이 아니라
Environmental issue~이라는 구절의 형용사형입니다.

그냥 일반적으로 환경, 사회, 지배 구조라고 해석을
하기에 E를 명사형으로 오해하고 있는 것이죠.
환경교육 현장에서는 ESG 교육을 하신다면 정확하게
알려드리는 게 좋을 거 같다는 생각입니다.
 (ESG의 E를 Environment라고 소개하는 실수는
  해서는 안 되겠죠)
물론 지배 구조에 대한 해석에도 여러 가지 얘기가
있긴 합니다. 요즘 ESG 강의에서는 투명한 의사결정
정도로 이야기 되고 있습니다.

최근 뉴스를 보면, 2024년 이후의 ESG 화두는 크게
2가지로 보고 있습니다.

하나는
ESG 공급망 실사인데, 이것은 EU의 규제에 대응하고
자 EU로 수출하는 업체의 전 세계 생산 공장에 대한
근로자의 인권, 환경 등 ESG 항목에 대한 공급망 평가
를 한다는 것인데요, 이렇게 되면 ESG 평가에서 낮은
평가를 받은 공급망에서 생산하는 제품에 대해서는

EU로 수출할 수 없게 되는 것이죠.

다른 하나는, ESG 공시입니다.

ESG 경영에서 중요한 것은 ESG 경영을 하는 것과 그것을 객관화한 지표로 외부에 공시하는 것을 말합니다.

중소기업의 경우 K-ESG 기준에 나온 47개 항목에 대한 데이터 관리가 기본이 되겠죠.

당연히 거기엔 ESG 워싱이 있으면 안 되겠죠.
2026년부터 국내 상장기업들의 공시의무 제도가 시행될지는 미정이지만, EU 등 해외 수출기업들은 공시 대응에 만반의 준비를 해야 할 필요가 있습니다.

23.지속가능경영보고서

ESG 공시와 함께 이 지속가능경영보고서의 작성이 기업의 경영척도가 되고 있는데요,
매년 참여기업이 증가하고는 있지만 부족한 상황이죠.

일정 규모 이상의 코스피 상장사에 대한 지속 가능 보고서 공시 건입니다. 금융위에서는 자산 2조 원 이상인 코스피 상장사의 공시 의무화 시기를 기존 2025년에서 2026년 이후로 유예한다고 발표를 하긴 했습니다만, 내년부터는 이 공시 기준에 대한 보다 명확한 제시가 있을 것이고 기준에 해당하는 기업들은 준비에 여념이 없을 것으로 생각되네요~

규제 시기와 무관하게 미리 대응하고 준비하는 예방책 마련이 필요한 때가 점점 다가오고 있습니다.

최근, 이 보고서에 생물 다양성을 포함한 자연자본 공시에 대한 이슈가 제기된 적이 있습니다. 이에 대한 정보 동향을 주시해야 합니다.

24.그린워싱

그린워싱은 Green washing으로 불리기도 합니다.
그린워싱은 가장 많이 사용하는 용어 중의 하나인데요,
ESG 경영을 해야 하는 기업, ESG 행정을 해야 하는
공공기관, ESG 생활을 하는 환경 시민들이 반드시
경계해야 하는 것입니다.

겉으로는 친환경 혹은 환경을 위하는 척 하지만
실상은 과대, 허위, 거짓으로 위장하는 것을 말합니다.

예를 들면, 친환경 마크를 실제 취득하지 못했거나
유효기간이 끝났음에도 마크를 그대로 두어 친환경
제품인 것처럼 홍보하는 것이 한 예입니다.

ESG 공시 시대에 기업은 이런 그린워싱을 반드시 경계해야 합니다. 한순간에 기업의 이미지나 위상에 먹칠할 수 있으니까요.

특히 자원순환, 재활용에도 이러한 워싱을 주의해야 합니다. 재활용되는 거 같지만 재활용할 수 없는 것이 많이 있으니까요.

재활용이 안 되는 건 당연히 종량제봉투로 가야 하지만, 분리배출로 내놓는 것이 바로 재활용 워싱의 한 예입니다.

최근 국내에도 이런 그린워싱을 규제하는 제도가 생겼지만, 규제 강도가 EU에 비하여 낮은 것 또한 문제입니다. 경고나 주의 조치가 아니라 좀 더 강한 제재가 필요하지 않을까요?

25.그린허싱

그린허싱은 Green hushing이라고도 합니다.
그린허싱은 워싱과 대척점에 있는 용어라고 볼 수
있는데요. 녹색 침묵이라고도 합니다.

그린워싱처럼 적극적으로 허위나 과장 홍보를 하는
것이 아닌 반대로, 침묵하거나 소극적인 행동으로
숨기는 것을 말합니다.

따라서 친환경 혹은 환경에 진심인 것처럼 잘하고
있을 거라고 믿게 만드는 것인데요,
예를 들면, 예전에 코카콜라가 자사 제품은 99% 이상
재활용이 가능하다고 홍보했으나, 실제로 코카콜라
제품은 전 세계 플라스틱으로 만든 콜라병을 가장
많이 생산하는 기업이기도 하죠.

플라스틱 생산량 감축이나 전략에 대해서는 침묵을
지키고 있는 게 한 예입니다.

그린워싱도 경계해야 하지만, 그런허싱도 감시를
게을리해서는 안 되는 것이죠.

26.그린린싱

그린린싱은 Green rinsing이라고 합니다.
친환경 목표나 계획을 발표한 이후 (소비자들 모르게)
내부적으로 그 목표를 낮춰 발표하거나 달성 시기를
계속 늦추는 것을 말합니다.

이는 기업들이 최초 설정 목표를 너무 과도하게 설정
하거나 무리하게 세우고, (소비자들 몰래) 목표를
내리는 전략인데요, 그린워싱이 아주 교묘하게 자리
잡은 형태입니다.

여러 대내외, 국내외 여건을 고려하여 달성할 수 있는
목표를 세우고 집행해 나가는 게 더 효율적이지
않을까요?

물론 너무 낮은 목표를 설정하여 조직을 침체로
몰아가는 것도 경계해야 함은 물론입니다.
<출처 : 그리니엄 정보>

녹색소비를 실천하는 탄소중립 생활, ESG 경영
전반에서 그린워싱, 그린허싱, 그린린싱을 찾아내는
우리 소비자들의 날카로운 "매의 눈"을 기대합니다.

제4편 에너지편

최근 우리 사회는 '전환'이 또 하나의 이슈,
정의로운 전환
탄소중립 전환
그리고
에너지 전환이 그것이죠.

RE100!

많이 들어보신 용어일 텐데요,

RE100은 재생에너지 전기(Renewable Electricity) 100%의 약자로 기업 활동에 필요한 전력의 100%를 태양광과 풍력, 수력, 지열 등 재생에너지를 이용해 생산된 전기로 사용하겠다는 자발적인 글로벌 캠페인 입니다. (출처 : 그린피스)

RE100은 탄소 정보공개프로젝트(CDP, Carbon Disclosure Project)와 파트너십을 맺은 다국적 비영리 기구인 '더 클라이밋 그룹(The Climate Group)' 주도로 2014년에 시작되었습니다.

RE100이 글로벌 위기인 기후 위기 시대에 떠오른 이유는 명확합니다.

우리가 사용하고 있는 전기!
탄소배출을 일으키는 화석연료로 만드는 전기가
아니라, 탄소배출이 없는 풍력 등 재생에너지로 생산한
전기를 사용하자는 것이죠.

최근까지 글로 기업과 국내 기업을 포함하여 약 400여
개 기업이 가입되어 있습니다. 국내 기업도 SK를 필두
로 하여 가입 기업들이 점차 늘어나고 있는 추세
이고요.

특히 유럽 등 글로벌 수출기업의 경우, RE100 달성을
요구하는 추세여서 이에 대한 대응이 필수라고 볼 수
있습니다.

최근 전국 각 지자체 내에서 햇빛발전소 운영이나 각
가정의 미니 태양광을 이용한 전기 사용 등도 모두
이러한 RE100 운동에 동참한다고 볼 수 있습니다.

저 또한 환경교육사로서 RE100 운동에 동참하자는
취지로, 폐기계 재활용센터를 운영하는 몇 곳의 대표
님들에게 센터의 옥상이나 지붕을 태양광 발전이 가능
한 것으로 개선하여 RE100 운동에 동참하는 것이
필요하다고 건의하고 있습니다.

그 이유는, 자원순환 과정에서 폐제품의 마지막 공정인
재활용센터에서 RE100을 달성한다면, 그 또한 기후변
화, 기후 위기 시대에 적응하고 완화하는 방법이 되지
않을까? 하는 취지에서입니다.

최근에 거주하고 있는 구리시의 정책공모전 모집에
시내 모든 학교 등 건물 옥상에 태양광 발전소 설치,
공공기관과 관내 기업 등에 RE100 운동 전개 등
탄소중립 환경 교육도시 관련하여 몇 가지를 제안하
기도 했습니다.

※Tip
　전국의 지자체에는 학령인구의 감소 등으로 인하여
　폐교되는 학교들이 계속 증가하고 있습니다.
　RE100을 달성하기 위한 장소로 사라지는 폐교
　부지, 또는 학교 지붕을 활용하는 방안에 대하여
　여러분은 어떻게 생각하시나요?
　학교복합화 운영과 함께 RE100 운영 대상으로서
　의 폐교 활용 방안에 대하여 리빙랩 체험을 해 보는
　것을 추천합니다.

① 제안제목	탄소중립 환경교육도시로 만드는 '구리시' 사용설명서
② 제안종류	공모제안
③ 개 요	기후위기 시대의 글로벌 이슈에 대응하기 위하여 구리시를 탄소중립 환경교육도시로 만들기 위한 정책 3가지를 제안함으로써 역사도시의 이미지와 함께 환경교육도시로의 위상을 갖추게함.
④ 현 황 및 문 제 점	· 2050 탄소중립의 지구촌 과제속에서 국가의 NDC를 실현하기 위하여 각 지자체별로 목표를 달성해야 함. · 구리시는 환경교육도시 선정을 위하여 신청을 한 적이 있으나 선정되지 못한 경험이 있고 이후 추가 대응이 없음. · 왕숙천과 장자호수 생태공원, 이문안 호수공원, 동구릉,한강변 꽃단지 등 천혜의 자연자원을 갖추고 있고 특히, 구리시 환경교육센터인 장자호수공원 생태체험관을 보유하고 있으면서도 환경교육도시로 선정을 받지 못하고 있는 현실임.
⑤ 개선방안 (개선내용)	탄소중립 환경교육도시 선정을 위한 구리시 사용설명서 3가지를 아래와 같이 개선사항으로 정책 제안함 -개선방안 1. 탄소중립 대응 '구리시 도시 숲 조성' 제안 　<내용> 탄소중립 대응방법으로서 배출감소와 함께 중요한 것은 탄소흡수원 조성입니다. 이에 대한 대응으로 구리시민의 이름표를 부착한 [내 나무 심기]의 일환으로 구리시민 중 추첨을 통하여 대상자를 선정, 시민 부담 + 구리시 예산 지원으로 나무를 선정하여 도시 숲을 조성하는 것입니다. 조성 장소로는 왕숙천변을 제안합니다. (구리농산물 시장 왕숙천변 주차장/왕숙교/왕숙1교/토평교) 도시 숲 조성은 산림청의 탄소흡수원 정책과도 일맥상통하며 도시열섬 완화와 구리시민의 휴식공간에 기여한다고 봅니다. -개선방안 2. 탄소중립을 위한 '에너지 전환 방안' 제안 　<내용> 탄소중립을 위한 탄소배출량 저감 대책으로 에너지전환 방법으로 1)시민-주택 태양광발전소 설치, 2)학교-옥상 태양광발전소 설치, 3) 공공-녹색구매 확대, 전기차 구매, 4) 공공/기업-RE100, 5) 공공/시민-에너지전환 거버넌스, 에너지자립마을 조성 및 지원 등 정책을 제안합니다.

<OO시 정책 제안 견본>

CFE는 최근 UAE에서 개최된 COP28 회의에서 우리
나라가 전 세계 198개국에 공식 제안한 의제이기도
한데요. 바로 Carbon Free Energy의 약어로 원자력
발전과 수소, 탄소 포집 저장 기술 등을 모두 포함한
무탄소 에너지를 통한 에너지 전환 이니셔티브입니다.

이것은 RE100에 앞서서 2003년경에 영국에서 주장된
CF100의 또 다른 개념으로 볼 수 있습니다. 그리고
한국은 COP28 총회 연설에서 CFE를 통한 에너지 전
환을 강조했습니다.

한국이 제안한 이러한 구상에 대하여 WP 등 일부
매체에서는 아래와 같이 비판적인 시각도 있는 것이
현실입니다.

WP에서는 한국이 기후변화, 기후 위기에 책임 있는 국가이면서도 재생에너지를 통한 발전 확대가 가능한 여력이 있음에도 이를 하지 않고 있다고 보고 있습니다.

<WP의 비판적 보도 내용 일부 발췌>
WP는 한국이 최근 제28차 유엔기후변화협약 당사국총회(COP28)에서 '무탄소 에너지 이니셔티브'(CFE 구상)를 회람했다고 소개하면서 "기후 전문가들과 운동가들은 일부 화석연료를 활용한 발전을 촉진하는 그 계획이 한국의 비(非) 재생에너지원에 대한 의존도를 가릴 뿐이라고 말한다"라고 썼다.

<한국경제신문 2023.12.9>
한국이 제안한 이 CFE가 RE100과 같이 글로벌 동참 의지를 얼마나 이끌어 낼 수 있는지 그 귀추가 주목됩니다.
왜냐하면, 현재 RE100에 가입한 기업보다 이 CF100에 가입한 기업이 훨씬 더 적은 것이 현실이고, CF100이 현실적으로 달성 가능성이 어렵다는 인식이 크기 때문이기도 합니다.

참고로, 현재 RE100과 CF100을 동시에 달성한 기업으로는 구글 등 일부 기업이 있습니다.

문제는 EU 등에서 글로벌 규제로 작용하는 RE100에 원자력은 포함되지 않기 때문에 CFE의 한계가 있죠.

29.분산 에너지

분산 에너지란 에너지 사용 지역 근처에서 공급·생산
하는 에너지로, 송전 비용 절감과 지속 가능한 전력
시스템 구축을 목표로 하는데요,

지난 6월에 제정된 분산 에너지법에 보면, 아래와 같이
정의하고 있지요.

에너지를 사용하는 공간·지역 또는 인근 지역에서 공급
하거나 생산하는 에너지로 일정 규모 이하의 에너지로
지정해 놓고 있습니다. 그 예시로 발전 설비용량이 40
메가 와트 이하인 발전설비에서 생산하는 전기에너지
등으로 몇 가지를 법에서 정해놓고 있습니다.
(분산 에너지법 시행령 2조)

제5편 기후변화·탄소중립편

2024년 11월에는 큰 국제행사가 국내외에서 2개나
개최가 되었죠.

하나는 2024년 11월 11일부터 11월 25일까지
아제르바이잔에서 진행된 **COP29 총회,**
또 하나는 2015년 기후 위기에 대응하는 세기의
협약인 파리기후협약 이후 또 하나의 이정표가 될
국제 플라스틱 협약을 위한 회의가 2024년 11월에
부산에서 진행되었는데요,

탄소중립을 달성하기 위한 전 세계의 노력,
어떤 기술, 제도들이 있을까요?

CCUS는 이산화탄소 포집·활용·저장(Carbon dioxide Capture Utilization and Storage) 기술을 말하는데요, 이것은 이산화탄소 감축을 위한 혁신 기술로 주목받고 있습니다. (CCS+CCU를 합쳐서 일컬음)

기후변화, 기후 위기의 대응은 탄소중립으로 귀결이 되는데요, 바로 이 탄소중립을 구현하기 위한 여러 가지 기술 중에서 핵심 중의 핵심이라고 할 수 있습니다.

한국과학기술연구원(KIST, 원장 윤석진) 청정에너지 연구센터 이웅 박사, 원다혜 박사 연구팀은 액상 흡수제에 포집된 이산화탄소를 전기화학적으로 직접 전환

해 고부가가치 합성가스를 생산하는 공정을 개발하는 데 성공했다고 밝혔다.

해당 연구 성과는 현재까지 CCUS 기술의 한계로 지적되어 온 경제성 문제를 해결할 수 있다는 점에서 주목받고 있다.

<KIST 보도자료>
KIST에 따르면, 이 새로운 기술이 작년 12월 5일 세계적 권위의 과학 저널 '네이처 커뮤니케이션 (Nature Communication, IF17.694, JCR 7.432%)'에 게재되었다고도 합니다.
이 기술이 상용화되어 탄소중립을 앞당기는 데 일조를 할 수 있기를 기원해 봅니다.

최근 전 세계적으로 CCUS 기술 상용화에 사활을 걸고 있는데요, 발생할 때의 이산화탄소, 또 공기 중에 있는 이산화탄소를 포집하여 활용할 수 있다면 획기적인 탄소중립 달성에 기여하지 않을까요?

또한 포집 후 저장 장소로 활용되는 아이디어로, 폐광 혹은 폐 유정 (더 이상 석유가 나오지 않는 지하 공간)도 거론되고 있어서 향후 동향을 계속 살펴보는 것도 좋을 거 같습니다.

31.탄소중립·넷제로

2023년 현재 우리나라를 포함, 지구촌 전체가 공통적으로 겪고 있는 것이 바로 기후변화,기후 위기의 현실이고 이에 대한 대응이죠.

지구온난화로 인한, 기후변화로 폭염, 폭우, 산불 등 이상 기후 재난으로 이어지고 있습니다.

기후변화를 넘어서 기후 위기에 대한 대응은 '탄소중립'입니다.

일반적으로 탄소중립과 넷제로를 그냥 혼용해서 쓰고 있는데요, 지구온난화를 일으키는 온실가스로 6대 요소가 있습니다.

(최근에서 삼불화질소인 NF3가 추가되어 7대 요소가
되었죠)

정확하게 구분하자면,

<탄소중립은?>
이산화탄소의 관리로 탄소 배출을 최대한 줄이고,
그래도 부족한 것은 탄소흡수원을 통하여 순 배출량을
0으로 만드는 것을 말합니다.

<넷제로는?>
이산화탄소 포함한 6대 요소를 관리하여 온실가스 순
배출을 0으로 하는 것을 말합니다.

6대 온실가스 중 가장 큰 비중을 차지하는 것이
이산화탄소이기 때문에 서로 혼용해서 쓰는 것도
무리는 아니지만 정의만큼은 정확하게 알고 넘어
가는 게 좋겠습니다.

COP는 [기후변화 협약 당사국총회]를 뜻하는 말로 Conference of the Paties의 약어로 유엔이 매년 개최하는 기후변화에 관한 국제회의입니다.

1992년 유엔 기후변화 협약이 체결된 후 1995년 독일 베를린 회의를 시작으로 매년 열리고 있으며, 2023년 UAE에서 28차 회의, 2024년에는 아제르바이잔에서 29차 회의가 개최 되었었죠. (매년 10월-12월 초 개최)

COP 회의 중 특기할 만한 회의는 아래 4개 회의라고 볼 수 있는데, 잠시 살펴보시죠~

1) 1997년 COP3
: 교토의정서 체결로 온실가스 배출 감소에 대한
   지구촌 노력이 시작

2) 2015년 COP21
: 파리협약 체결로 지구 평균온도를 산업혁명 이전
   대비 2℃ 이내로, 가급적 1.5℃ 상승으로 제한,
   2050년까지 탄소중립 달성 합의

3) 2021년 COP26
: 영국 글래스고 개최, 우리나라 K-POP 그룹인
   **블랙핑크가 총회 기간 내내 기후변화 홍보대사로
   활약한 공로로 영국정부로부터 대영제국 훈장
   (MBE)을 수여함.**

4) 2023년 COP28
: UAE에서 개최, 1995년 COP 회의가 개최된 지
28년
   만에 드디어 화석연료 관련 반쪽 합의 결과 도출이
   되었다는 소식이 전해졌네요.
   **화석연료로부터 멀어지는 전환에만 합의 (단계적
   퇴출 합의에는 실패한 아쉬움이 있음)**

석유 자원을 이용한 경제성장을 필요로 하는 산유국
에서 COP 회의가 개최되었으니 어느 정도 회의
결과는 예상했지만, 그래도 반쪽 합의는 했으니 이후
어떻게 진행될지 추이를 지켜봐야 하겠죠.

2024년에 개최된 COP29회의도 또 산유국 중 하나인
아제르바이잔에서 개최된 결과, 기후 재원 조성 목표를
설정하고 국제 탄소시장 세부 규칙 합의로 배출권
거래를 위한 글로벌 표준이 마련된 점이 성과였죠.

2025년에 브라질에서 개최되는 COP 30차 회의에서
손실 피해 기금운용 합의 여부가 관건이 될 거 같습
니다.

IPCC는 [기후변화에 관한 정부 간 협의체]를 뜻하는 말로 Intergovernmental Panel on Climite Change의 약어를 말합니다.

세계기상기구 WMO와 국제연합환경계획 UNEP이 공동으로 1988년에 설립한 국제조직입니다.

여기에서는 기후변화에 관한 과학적 근거, 영향과 위험, 기후변화에 대한 적응과 완화 등에 관한 보고서를 내는데, 2023년에 제6차 보고서가 나왔 습니다.

이 IPCC 보고서와 관련하여 2018년에 1.5℃ 특별 보고서가 우리나라 송도에서 개최된 회의에서 발간

되어, 기후변화에 대한 심각성을 알려준 바 있었죠.

2023년에 발간된 6차 보고서에 따르면, 기후변화에 대한 책임이 인간 활동에 의한 것이라는 데 만장일치로 의견이 모아졌다는 점이며, 이 보고서는 현재 기후변화에 대한 교과서로 환경교육 현장에서 활용되고 있지요.

NDC는 국가 온실가스 감축 목표로, Nationally
Ditermined Contribution (국가 결정 기여)의
약어입니다.

2015년 파리 기후협정에 따라 각 국가는 자발적으로
자국의 온실가스 감축에 따른 목표치를 유엔기후변화
협약에 신고하게 되어있는데요,

우리나라는 2050년 탄소중립 달성을 위해 2030년
국가 온실가스 감축 목표를 2018년 대비 40% 감축
으로 상향하여 제출한 바 있죠.

관련 사항으로 헌법재판소에 기후 헌법소원이 2020년
3월 이후 2024년까지 총 4건이 계류 중이었던 거
알고 계시나요?

소송을 제기한 측과 정부의 입장이 첨예하게 대립하고 있어 헌법재판소의 결정문에 귀추가 주목되었는데, 전 세계적으로 약 2,000건 이상의 기후소송이 제기된 상태인데 그중 4건이 한국입니다.

이 헌법소원에 대해서는 2024.8.29일에 드디어 중요한 결정이 하나 인용되었죠 즉 탄소중립 기본법 제8조 1항이 헌법 불일치로 판결이 났고, 2026년 2월말까지 정부는 2031년부터 2050년까지의 NDC를 정하라는 법 개정안을 마련해야 합니다.

즉 현행법에는 2030년까지의 온실가스 감축 목표를 2018년 대비 40% 감축이라고만 정해놓고 있어 2050 탄소중립으로 가기 위한 2031년부터 2050년까지의 감축목표가 없어 미래세대의 기본권을 침해하고 있다고 본 것이죠.

2026년 2월이면 이제 약 1년여의 시간이 남아있는데, 최근의 정치적 상황을 고려하면 국회의 입법 수립 기간이 그렇게 많지 않은 현실입니다.

정부와 국회를 향한 기후 시민들의 적극적인 감시가 필요한 때입니다.

35.탄소배출권 거래제도

탄소배출권 거래 제도 또는 배출권 거래제는 [탄
소배출권]을 사고팔 수 있는 체계를 말합니다.

즉 온실가스를 많이 배출하는 사업장을 지정하여 배
출권을 할당하고, 실제 온실가스 배출량을 평가해서
남거나 (팔고) 모자라는 (사고) 배출권을 거래할 수
있죠.

우리나라는 2015년에 도입했고 현재는 3차 계획 기간
으로 2025년까지 시행 중입니다.

현재 배출권 거래 가격이 너무 낮은 것이 국내 시장의
문제라면 문제인 것이죠.

아래 그림을 보시면 쉽게 이해가 될 겁니다.

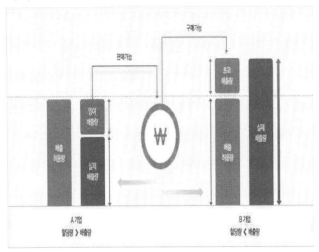

<출처 : 배출권 시장 정보 플랫폼>

36.탄소국경세 (CBAM)

탄소국경세 (CBAM)는, EU에서 2026년부터 시행되는 제도로 EU 역외 (즉 해외)에서 생산되어 EU로 수입되는 제품 중 탄소 배출이 많은 제품에 대하여 탄소세를 부과하는 제도입니다.

2023년 10월부터 2025년 말까지는 유예기간으로 이 기간에는 탄소 배출량을 보고해야 합니다.

2026년부터는 탄소세를 부과하게 되는 것이죠. EU에 이어서 영국에서도 2027년부터 탄소세를 부과한다고 하네요.

이를 두고 중국 등 제품 생산이 되고있는 아시아권 일부 국가에서는 이러한 탄소세 부과가 보호무역

조치라면서 반발이 일어나고 있습니다.

우리나라의 경우에도 EU 수출이 가장 많은 비중을
차지하는 철강 등 일부 품목은 탄소세에 대응하기
위한 준비가 필요한 때인데요, 우리나라에서 생산되는
EU 수출 품목 중 탄소 배출이 적은 재생에너지를
사용하여 제품을 생산해야 한다는 것입니다.

결국 CBAM은 RE100으로 연결되는 고리임을 발견할
수가 있습니다.

37.탄소발자국

탄소발자국은, 우리 인간이 일상생활 속에서 행동을
할 때 발자국을 남기는 것처럼, 어떤 제품을 개발하고
생산, 판매, 사용 그리고 사용 후 폐기 처리할 때까지
전 과정에 걸쳐 탄소가 배출됩니다.

이렇게 배출되는 탄소 배출량을 표시하는 것을 말하
는데요,

환경부 산하인 한국환경산업기술원에서 이 탄소발자국
인증 제도를 시행하고 있습니다.

아래 마크가 탄소발자국 인증 마크로 이산화탄소 몇 g
으로 나타냅니다.

이 숫자가 적을 수록 탄소 배출이 적은 제품이라는
의미입니다.

<환경산업기술원 홈페이지>

38.화석상

화석상은 매년 COP 총회가 열리는 해에 수여하는
국제적인 상입니다.

바로 탄소 배출에 큰 영향력을 끼친 나라 중, 기후변화
대응은 미약한 국가를 선정, 수여하고 있는데요,
한국이 이 상을 받은 건 2023년이 첫 번째죠.

탄소 배출 세계 10위권에 드는 나라임에도 기후변화
대응은 꼴찌를 하고 있기 때문이죠.

특히 화석연료 투자 제한 협상에 반대하고 공적자금을
많이 투자하는 나라라는 이유였습니다.

2023년 COP28 총회에서 아래와 같은 사유로
화석상을 받은 바 있습니다.

이에 대한 자세한 내용은 아래 기사를 참조하시면
됩니다.

한국, '오늘의 화석상' 첫 불명예…"호주서 탄소 폭탄
터뜨리려 해"

한국, '오늘의 화석상' 첫 불명예…"호주서 탄소 폭탄
터뜨리려 해"
한국과 노르웨이, 캐나다 앨버타주가 '오늘의
화석상'을 받았다. 1999년, 국제 '기후 악당'이란
인증이나 다름없는 이 상이 만들어진 이래, 한국이 이
상을 받게 된 것은 이번이 처음이다. 세계

기후환경단체들의 연대체인 기후행동네트워크(Climate Action N

www.hani.co.kr

2024년에 받은 화석상은 1위 수상이었는데요, 국제 환경단체 기후행동네트워크가 매년 COP 총회에서 수여하는 상으로, 작년 3위에 이어 드디어 세계 1위에 등극? 했죠.

수상 이유로는 한국이 화석연료 수출금융에 공헌이 크고 국제사회의 감축 노력을 방해하고 있다는 이유 였습니다. (OECD 37개 국가 중 30개국이 화석연료 수출금융 제한에 찬성했으나 한국은 반대함)

즉, OECD 수출 신용협약 참가국들이 진행하는 논의 에서 신규 석탄화력발전소 건설 지원만 금지하는 현 내용을 개정하여 화석연료 에너지 전반으로 확대하기 위한 것인데, 한국이 여기에 반대하여 만장일치에 이르 지 못했고 이를 막아선 한국이 국제 기후 대응을 방 해한다라는 이유였죠.

이 상을 받았다는 건 한마디로 한국이 '기후 악당 '이라는 걸 의미합니다.

2025년 브라질에서 개최되는 COP30 회의에서 한국이 또 2회 연속 1위 화석상을 받을지? 에 대하여 귀추가 주목됩니다.

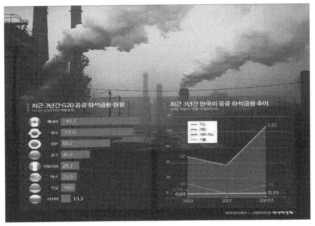

<출처 : 아시아 경제_화석 금융 현황>

39.대왕고래(프로젝트)

대왕 고래는 현존하는 지구상의 가장 거대한 포유동물로, 동해 심해 가스전 개발을 통해 약 35억-140억 배럴의 원유, 가스 매장량이 있을 것으로 추정되는 대형 사업을 의미하는 것으로, 시추에 성공하고 경제성이 있을 경우 산업에 큰 영향을 미칠 수가 있습니다.

현 정부의 대형 프로젝트임에도 불구하고 환경단체에서는 지속적으로 환경 위기 문제를 제기하고 있죠.

최근 통과된 내년도 산업부 예산에서 거의 개발 예산이 삭감된 상태인데, 향후 프로젝트 추진 여부가 주목되고 있습니다.

최근 산업부 발표에 따르면, 1차 시추 결과로는 경제성이 없다는 판단이 나왔다고 합니다.

추가 시추를 진행할지는 최종 판단을 보아야 할 텐데
데요, 석탄과 석유사용을 줄이고 신재생에너지를 확대
하고자 하는 글로벌 추세에는 역행하는 상황이어서
앞으로의 정부 추가 탐사 계획에 많은 관심과 감시를
해야 할 때입니다.

제6편 플라스틱편

2024년 11월에, 2015년 기후 위기에 대응하는 세기의 협약인 파리기후 협약 이후 또 하나의 이정표가 될 **국제 플라스틱 협약을 위한 회의**가 부산에서 개최되었으나, 만장일치 합의에는 이르지 못한 아쉬움이 있었고, 어떻게 진행될지 그 귀추가 주목됩니다.

플라스틱을 구분하는 여러 기준, 즉 열경화성/열가소성 등 특성별 구분, PE / PE 등 재질별 구분도 있지만, 아래 3가지의 플라스틱 구분도 알아두시면 좋습니다.

(pixabay)

40.플라스틱 식민주의

플라스틱은 2차 세계대전 이후 폭발적으로 생산량이
증가, 현재 지구환경을 오염시키는 주범으로 자리잡았
는데요, 육상을 포함하여 특히 해양오염의 큰 원인으로
얘기되고 있는 플라스틱의 문제로 최근에는 플라
스틱 식민주의라는 말까지 생겨났는데요,

선진국의 무분별한 플라스틱 생산과 사용, 폐기로 그
피해는 가장 낮고 가난한 나라로 흘러 들어가고
있음을 비판하는 용어로 자리를 잡았죠. 플라스틱
식민주의는 정의로운 전환의 또 다른 모습을 인류에게
숙제로 던
져주고 있습니다. 관련한 자세한 내용은 아래 기사를
참조해 주시기 바랍니다.

"재활용 불가 폐기물 수출하는 선진국…애초 플라스틱
적게 만들어야"

"재활용 불가 폐기물 수출하는 선진국…애초 플라스틱
적게 만들어야"
부산 플라스틱 협약부산 방문한 그린피스
필리핀·아프리카 캠페이너 인터뷰"폐기물 수출, 개도국
이용해 플라스틱 계속 쓰겠다는 것"

www.msn.com

HAC는 플라스틱 오염 종식을 위한 야심찬 목표 연합
(High Ambition Coalition to end Plastic
Pollution)으로 일컬어지는 용어인데요, 지난 11월
25일부터 12월 1일까지 부산에서 개최되는 국제 플라
스틱 협약 회의 관련한 중대 이슈 중의 하나입니다.

한국을 포함하여 HAC에 가입한 국가들이 이 회의에서
주도적으로 어떤 결론을 이끌어 내는지? 향후 플라스
틱 규제에 대한 이행에 속도를 낼 수 있을지 주목됩
니다.

이에 대한 자세한 기사는 아래를 참조하시면 됩니다.

플라스틱 협약 우호국 연합 "2040년까지 오염 종식해야"

플라스틱 협약 우호국 연합 "2040년까지 오염 종식해야"

부산에서 열린 '플라스틱 협약' 협상에서 67개국은 2040년까지 플라스틱 오염 종식을 재확인하며 법적 구속력 있는 규칙 필요성을 강조했다.

www.msn.com

※ Tip, 추가로 알아야 할 용어로 <u>HCA+가 있는데요,</u> 이는 플라스틱 오염 종식을 위한 개최국 연합 (Host Contry Alliance +)으로 일컬어지는 용어로 위의 HAC와 비슷하나 다른 용어입니다.

한국을 비롯하여 플라스틱 국제협약을 위해 그동안 국제회의를 개최한 국가들 연합인데요, 한국은 HAC 회원국이면서 HCA 회원국이기도 하죠.

이 HCA에서는 이번 국제협약을 위한 회의에서 한국은 현재 플라스틱 협약 성안을 목표로 법적 구속력은 유지하되, 구체적인 실행은 개별 국가의 자율로 하자는 (다소 모호한) 제안을 한 상태입니다.

이에 대한 자세한 내용은 아래 기사를 참조하시면 됩니다.

<u>'플라스틱 협약' 협상 진행 중 협상위 개최국(HCA+)</u>
<u>협력 모색 : 네이트 뉴스</u>

hosted by Ministry of Environment, Republic of Korea

'플라스틱 협약' 협상 진행 중 협상위 개최국(HCA+)
협력 모색 : 네이트 뉴스

한눈에 보는 오늘 : 사회 - 뉴스 : 환경부, 협약 의무
사항 및 이행 방안에 대한 절충안 제시 김완섭 환경부
장관이 26일 부산 벡스코에서 플라스틱 협약 성안을
위해 개최국 연합과 협력 방안을 모색하기 위해
만찬을 주최했다. 김 장관은 "구체적인 협약이
도출돼야 하는 마지막 협상인 만큼 플라

news.nate.com

미세플라스틱은 5mm 이하의 미세한 플라스틱으로
자연에 버려진 폐플라스틱이 부서지고 쪼개져 미세하
게 분해된 상태를 말하는데요, 최근 한국의 연구팀이
혈액 속의 미세플라스틱 발견을 했다는 기사가 나와
세계적인 관심을 받았었죠.

일상생활 속의 미세플라스틱은 다양한 형태로 발생하
는데 이렇게 발생한 미세플라스틱이 결국 바다로 흘러
들어가 다시 인간의 몸속으로 들어온다는 데 심각한
문제가 있는 것입니다.

약 1,000억 개 은하계 별보다도 훨씬 많은 약 171조
개의 미세플라스틱이 바다를 떠돌아다닌다는 기사가
난 적이 있습니다.

43.생분해성 플라스틱

생분해 플라스틱은 일반적인 조건에서 분해되는 것이 아니라, 특별한 조건에서 분해되는 플라스틱을 말합니다.

생분해 플라스틱이라고 할 때 통상적으로 폐플라스틱 제품이 실외에 폐기된 상태에서 그냥 분해되는 것이라 생각하는데, 그렇지 않다는 것을 염두에 두어야 합니다.

즉 생분해 플라스틱은 그냥 자연환경에 두었을 때 저절로 분해되는 것이 아니라 일정한 조건 (온도 등) 하에서 일정한 시간이 경과해야 분해가 되는 것으로 산이나 들, 강, 바다에 버려진다면 일반 플라스틱의 문제와 동일한 오염 문제가 발생한다는 것입니다.

44.바이오 플라스틱

바이오플라스틱은 지속 가능 발전에 기여할 수 있는 친환경 소재를 의미하는 것으로, 원료의 유래와 생분해 여부에 따라 종류가 나누어집니다.

바이오매스 플라스틱은 나무나 옥수수 같은 식물성 원료 등에서 추출한 것으로 화석연료 대신 바이오매스를 사용하게 되면 탄소 배출이 크게 감소하는 장점이 있죠. (3D프린터 필라멘트로 많이 사용하는 PLA가 대표적이죠)

생분해 여부는 플라스틱이 미생물과 같은 생물체에 의해 분해될 수 있는지 여부를 의미하는데요, 기존 플라스틱은 난분해성을 가지고 있으며, 생분해가 가능한 플라스틱은 폐기 후 분해가 되기에 현재 플라스틱이 가진 문제를 일부 해결할 수 있습니다.

(일정 조건)

<출처 : 삼성증권_ESG 대,순환경제,플라스틱:뿌린씨를
거둘때>

우리 인간이 플라스틱을 사용하지 않는 생활을 상상할
수 있을까요?

※Tip. 활동 체험 제안
오늘날 지구 환경오염의 주범인 플라스틱이 우리 인간
에게 다른 것으로 모두 대체가 된다고 할 경우에도
절대 필수 불가결한 사용처, 꼭 있어야만 할 곳이 있을
수 있습니다.
과연 필수 불가결한 곳, 어디일까요?

여러분이 생각하시는, 플라스틱이 없어서는 안 될 곳?
에 대하여 서로의 의견을 공유하고 서로 논의해 보는
활동 체험을 해 보는 것을 추천합니다.

제7편 지속가능발전·생태계편

45.SDGs

SDGs는 Sustainable Development Goals의 약어로써
'지속가능 발전 목표'를 말합니다.
지속가능 발전의 개념은, 1987년 [우리 공동의
미래]라는 보고서에서 언급이 되었는데요, 미래세대가
그들의 필요를 충족할 수 있는 능력을 저해하지
않으면서, 현세대의 필요를 충족하는 발전을 말합니다.

즉, 미래세대가 지구 자원을 활용할 수 있도록 현세대
가 최대한 아껴 써야 한다는 의미로 이해하면 좋을 거
같습니다. (자원의 한계, 절약과 공존, 필요를 함축하고
있죠)

2015년 유엔총회에서 192개 회원국 만장일치로 채택
되었는데, **17개 목표에 169개 세부 목표로 구성되어
있지요.**

아래는 17개 목표입니다.

<출처:지속가능 발전 포털>

SDGs의 슬로건은 '단 한 사람도 소외되지 않는
것'인데, 유엔과 국제사회가 2030년까지 달성하기로
인류 공동의 목표입니다.

매년 우리나라에서도 K-SDGs 달성 결과를 보고서
형태로 공시하고 있는데요, 각 지자체별로 지속가능
발전 협의회가 구성이 되어있습니다.

2022 국가지속가능성 보고서

국가지속가능발전목표(K-SDGs)
점검 및 지표평가 결과

환경부
지속가능발전위원회

<출처 :지속가능발전포털>

46.인류세

인류세 (人類世) 는 Anthropocene를 뜻하는 말로써
지구의 지질시대를 고생대-중생대-신생대로 구분했을
때 우리가 살고 있는 지금 이 시기는 신생대의 홀로
세인데, 19C 중반 (1945-1950년대)을 홀로세가 끝
나고 인류세의 시작으로 보는 것이 일반적입니다.

(물론 인류세의 기점을 농경의 시작, 아메리카 대륙
발견, 최초 핵 실험한 때 등으로 보는 시각도 있습
니다)

인류세를 명명하게 된 결정적인 계기는 인간의 활동이
지구의 지질시대, 지구환경을 근본적으로 이전과
다르게 변화시켰다는 것을 뜻합니다.

이러한 인류세 명명은 2024년에 부산에서 열릴 세계
지질과학총회에서 결정지어질 가능성이 크다고
보았는데요, 그 결정은 좀 더 미루어지게 되었습니다.
아직 세계적인 총의가 모아지지 않아 좀 더 논의가
필요한 것으로 되었죠.

하지만 지구의 지질시대를 새로운 인류세로 명명하자
는 취지는 현재 지구의 상태를 감안할 때 충분히 필요
한 것으로 생각됩니다. 인류세 논의에 대한 추세도 관
심을 갖고 지켜보는 게 좋겠습니다.

[돌발퀴즈]
인류세와 관련하여 최근 인류세 워킹그룹 (AWG)은
지구가 인간의 활동으로 인해 새로운 지질학적 장인
인류세에 접어들었다는 증거를 제공하는 장소로
캐나다의 이곳을 선정했다고 발표한 적이 있습니다.

이곳은 어디일까요?

MPA는 Marine Protected Areas의 약어로, 해양 보호
구역을 의미합니다.

현재 우리나라에 해양보호구역으로 지정된 곳은 해양
의 1.8%에 불과한 상태라고 합니다.

2030:30 정책에 따라 우리나라는 2030년까지 30%
까지 해양 보호구역을 확대할 예정인데요,
이는 해양생물다양성 보존뿐만 아니라, 해양에 있는
플라스틱 문제를 해결하기 위해서도 꼭 필요한 정책
이라고 봅니다.

특히 해양보호구역법이 아직 제정되지 못한 상태여서
국회에서도 하루속히 관련 법규가 제정되어 체계적인
해양 구역이 보호되고 관리되길 기대해 봅니다.

이 부분에 관한 자세한 기사는 아래 정책브리핑 기사
를 참조하시면 됩니다.

2030년까지 우리 해양 30%, '보호구역' 지정⋯체계적
보전 관리 - 정책 뉴스 | 뉴스 | 대한민국 정책브리핑

2030년까지 우리 해양 30%, '보호구역' 지정⋯체계적
보전 관리 해양수산부가 지리적·지형적 중요 지역과
갯벌, 물범과 고래류의 해양포유류 서식처 등을
중심으로 1000㎢ 이상의 대형 해양보호구역을 지정해
2030년까지 우리나라 해양의 30%를 해양보호구역으로
설정한다. 현재 해양보호구역은 1.8% 수준에 불과하다.
또 해양생태관광 활성화 계획 수립을 추진해 해양생태
연구, 교육, 관광 등의 기반을 마련하는 한편, 해파리..
www.korea.kr

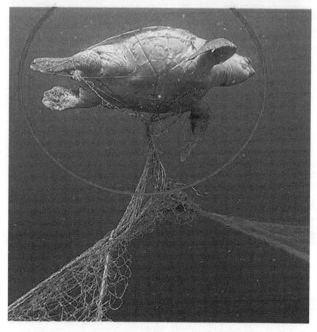

버려진 그물에 묶여, 굶어 죽을 때까지 옴짝달싹 못했을 바다거북이./사진=프리다이빙 트레이너, 이영건 뮤트 대표 강사 인스타그램(@mute_younggun)

(머니투데이)

48.CBD

CBD (생물다양성협약)는 The Convention on Bio
logical Diversity의 약어로, 1992년 리우에서 개최된
유엔 환경 개발 정상회의에서 생물 종(種) 감소의
가속화에 대한 문제의식과 종 다양성 보전에 대한
국제적 공감대가 형성됨에 따라 채택되었습니다.

이 협약은 1. 생물다양성 보전 2. 그 구성요소의
지속가능한 이용 3. 생물유전자원 관련 이익의 공평
한 공유를 목적으로 하고 있으며, 우리나라는 1994년
10월 협약을 비준하였습니다.

〈출처 : 환경부 국립생물자원관〉

ABS는 유전자원의 접근 및 이익공유 이행을 위한 법적 구속력이 있는 국제적 기준 마련을 위하여 생물다양성협약 제10차 당사국총회 (2016.10.)에서 채택된 생물다양성협약 부속 의정서로 Access to Genetic Resources and Benefits Sharing의 약어입니다.

나고야의정서는 생물유전 자원을 이용함으로써 발생하는 이익을 자원 제공국과 공유하도록 규정하는 국제규범이며, 우리나라는 2017년 5월 의정서를 비준하였습니다.

<출처 : 환경부 국립생물자원관>

50.LCA

LCA는 ESG 공시 혹은 기후공시에 대응하기 위해 제품의 전 과정 (개발/생산/판매/폐기에 이르는 전 주기)에서 발생하는 탄소 배출 측정, 평가하는 것을 말하는데요, Life Cycle Assessment의 약어입니다.

제품에 대한 탄소 배출량은 전 주기에 걸쳐 나오기 때문에 CLA 평가가 필수죠.

기업의 배출량 데이타 관리를 축적해 나가야 합니다. 이는 특히 2026년부터 규제되는 유럽의 CBAM 대응을 위해서라도 필요한 사항이죠.

해외 수출을 주력으로 하고 있는 글로벌 대기업 뿐만 아니라, 공급망 상에서 수출기업 혹은 대기업의 공급망에 속해있는 중견기업, 중소기업도 ESG 공시에 자유롭지 못한 시대가 이미 도래했고 앞으로도 해외 바이어들의 공시에 대한 요구는 더욱 강화될 것으로 예상됩니다.

글로벌 규모의 기업들 경우처럼 지속가능경영보고서를 발간하지는 못하더라도, 기본적인 ESG 공시 항목에 대한 데이타 확보와 관리는 필수적이라고 생각합니다.

온실가스 배출, 에너지사용, 용수 및 폐기물 재활용 등은 가장 기본적인 관리 데이터입니다.

앞으로는 세계 시장은 제품 내 화학물질에 대한 관리 규제인 "REACH" 규제가 나올 때처럼, ESG 공시에 대해서도 No Data, No Market !! 이 될 것으로 봅니다.

미리 준비하고 대처하는 자세가 필요한 때입니다.

작가의 말

예비 환경교육사와 환경교육사를 취득한 분들이 향후 환경 강사로 활동하는 데 있어서 꼭 알아야 할 환경 용어집 "환경 용어 톡" 1차 50선을 마무리합니다.

추가 50선은 이른 시일 안에 정리하여 2차로 발간할 예정입니다.

현장에서의 환경교육 강사 활동에 작은 도움이 되었으면 하는 바람입니다.

(AI 이미지)